주로 밤에 하는 이야기

주로 밤에 하는 이야기

Poetic Paper 3

글 김종완   그림 윤연두

별책부록

I

춤을 출까요, 아무도 없는

가로등 불빛 아래 둘이서.

잘 못추어도 자유롭게

우리의 여름 다정한 밤에.

2

하루의 끝에는

밤이 있지

무서운

무감각한 밤

그래도 아늑하게

"잘 자." 말해주는

하루의 끝에는

네가 있지.

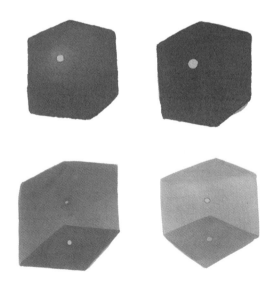

3

서로를 아늑하게 끌어안고,

우리는 아득하게 꿈속으로.

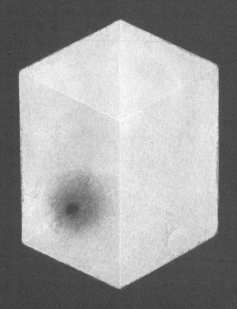

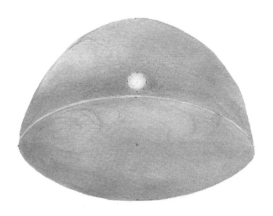

4

내가 바다라면 바다가 깊어도 무섭지 않을 거야

내가 외로움이라면 문득 외로워도 무섭지 않을 거고

내가 우주라면 우주의 공허함이 무섭지 않겠지

그러니 무섭지 않을 거야.

내가 나라면, 내가 된다면.

5

낮이 자리를 비우고 떠나면 그 빈자리에 밤이 찾아와 어둡고 차갑게 세계를 채운다. 나는 밤을 더 좋아해서 낮이 갔다 하지 않고 "밤이 왔다" 한다.

6

무언가를 하다 밤을 새우면 어쩐지 비밀 하나를
간직한 것 같은 기분이 든다.

7

고요하고 맑은 밤은 작은 바람에도 흔들린다.

찻잔 속에 달 하나 띄워두고 손을 모아 온기를 담는다.

지난 일은 지나간 일.

"잘 지나갔기를 바랍니다."

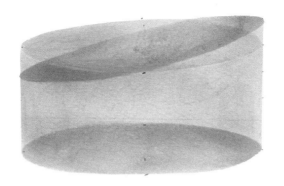

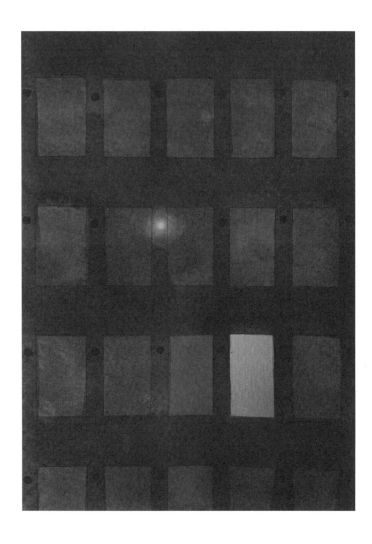

8

집에 오는 지하철 옆 자리에 초록색 우산을 손에 든
사람이 앉았어 그 사람은 또 빨간 사과 두 개가 담긴
비닐봉지를 들고 있었지 사과는 투명 비닐에 담겨있었어.
나는 그 사람이 들고 있는 초록색 우산과 빨간 사과 두
개를 흘끔거리며 봤어 눈길이 갔는데 그렇지 않니 초록색
우산을 쓰는 사람은 의외로 많지 않고 요즘 시대에 빨간
사과 두 개를 투명 비닐에 넣어 들고 가는 것도 왠지
낯설게 보이잖아, 초록색 우산과 빨간 사과 두 개는
흔한 보통 사물이겠지만 초록색 우산을 들고 빨간 사과
두 개를 투명 비닐에 담아 들고 가는 걸 옆에서 보는 건
적어도 내게는 흔한 일이 아니었지 나는 자연스럽게
궁금해서 고개를 들고 건너편 창에 비친 내 옆자리 그
사람의 얼굴을 봤어 초록색 우산을 들고 빨간 사과 두
개를 투명 비닐에 담아 들고 가는 사람은 어떤 사람일까?
하고. 근데 그 사람, 돌아서면 바로 잊어버릴 것 같은
특징 없는 얼굴이었어 표정도 무표정했고 나는 그 사람을
조금도 짐작할 수 없었지 짐작하면 안 될 것 같았어.

그 사람은 선릉역에서 내렸어 초록색 우산과 투명 비닐에 담긴 빨간 사과 두 개를 들고서. 나는 집에 오는 동안 그 초록색 하나와 두 개의 빨강을 생각했어. 그 사람 얼굴은 금세 잊어버렸지만.

9

사랑은 알 수 없는 것이지만 알 수 없다고 해서 그것을 꼭

알고 싶은 것도 아니다. 사랑을 알 수 없어도 사랑은 할

수 있으니까. 알 수도 없겠지만 만약에 사랑이 무엇인지

알게 되면 오히려 사랑을 할 수 없을지도 모르겠다.

어쩌면 무엇도 할 수 없을지도 모르겠다. 정말로

그렇다면, 누군가 내게 사랑이 무엇인지 알려주려 할 때

얼른 도망가야겠다.

"당신이 어떤 꽃을 좋아하는지 알게 되어 좋아요."

11

누군가 내 등을 만져 돌아보니 등줄기를 타고 흘러내리는

땀이었고, 긴 숨소리에 흔들리는 나무숲이었고,

여름밤이었네.

12

요란하게 내리던 비가 그치고 강가엔 여름 냄새가
가득하다. 그녀와 나는 여름 강가를, 밤이 만든 투명한
원통 속을 걸어간다. 엷고 얇은 초승달이 우릴 따라온다.
풀숲에서 풀벌레가 운다. 그 소릴 듣는다. 따라오던 달도
멈추고, 시간도 멈춘다.

그 사람과 나는 술을 잘 못해서 같이 술을 마시면 한두
잔으로도 금방 취기가 올라 기분이 좋아진다. 그 사람
말고 다른 사람들은 나보다 술을 잘하는데 다른 사람들
하고 술을 마시면 악기 합주에서 나 혼자 리듬을 못
맞추는 기분이 들어 슬퍼진다. 혼자 술을 마시는 것도
그만큼 슬픈데, 그건 왜 그런지 모르겠다. 다른 건 혼자
해도 괜찮은 것 같은데. 아무튼 그래서 나는 거의 그
사람하고만 술을 마신다. 그 사람하고 술을 마시면
리듬이 잘 맞아서 슬프지 않다. 기분이 좋다.

늦은 여름밤, 밤하늘의 별, 야외 수영장, 미지근한 물,
풀벌레 소리, 모두들 가고 나만 그곳에 남아 몸에 힘을
빼고 천천히 수면 위를 떠다니며 밤하늘의 별, 정말
수많은 별을 바라보다가 찌르르 풀벌레 소리 들으며 아
좋다 작게 소리내보다가 문득 아무도 없고 네모난 밤의
수영장에 나 혼자 있다는 걸 알게 되는, 그런 곳이 있다.
너무도 좋고 너무도 무서운 그곳. 나만 알고, 나만 갈 수
있는 그곳. 나는 가끔씩 그곳에 간다. 가서 아 좋다 하고
아 무섭다 한다.

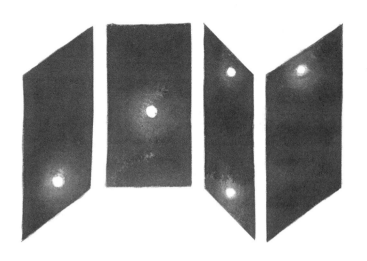

15

그러니까 나는 숨어있는 듯 지냈는데 그런 지 삼사 년쯤
되었나. 내 휴대전화 진동이 울렸으면 했다. 너무 안
울어서 그걸 울게 하고 싶었다. 나는 너무 숨어있었고
가만히 있었다. 그렇게 살고 있었다. 지금은 이름을
잊어버린 어느 고시원 방 한 칸에서. 고시원 벽이 너무
얇다 생각을 밤이면 자주 했다.

혼자 뭐가 그리 할 말이 많은지, 머릿속이 복잡했고
아무리 기다려도 (잠이) 오지 않았다. 너무 깊고
고요한 공허한 어느 밤엔 옆방에서 잠을 자는 누군가의
숨소리마저 들려왔다. 나는 그를 모르지만 그걸 들으며
"잘 자."라고 내게 메시지를 보냈다.

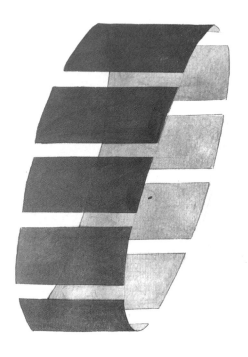

나는 내가 뭘 하려고 책상 앞으로 갔는지 도무지
기억나지 않았다. 혼자 어리둥절해져서 창밖을 봤다.
우거진 나무숲이 바람에 흔들리고 있었다. 흔들리면서
그것은 움직이고 있었다. 잠 속을 움직이는 꿈처럼.
나는 내가 책상 앞으로 간 이유를 기억해내려고 애썼다.
그것이 중요한 일이 아니라는 것을 직감했지만 그것을
잊어버렸다는 것이 내게는 중요했다. 그것을 기억해내지
못한다면 작은 부품 하나를 잃어버린 기분이 들 것
같았다. 그 작은 부품 하나가 내가 작동하는 데 당장
중요한 역할을 하는 건 아닐 테지만 시간이 지나면
고장의 원인이 될 수도 있을 것 같았다. 창유리에 비친
나는 그걸 알고 있었다. 나는 기억해내고 싶었다. 가만히
멈춰서, 창밖 흔들리는 나무숲을 보며, 방금 전까지 내가
했던 행동들을 순서대로 하나하나 되짚어봤다. 하지만
결국 내가 뭘 하려고 책상 앞으로 갔는지는 기억나지
않았다. 하루가 다 지나도록 기억나지 않았다.

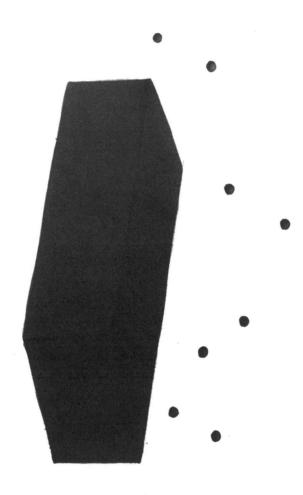

늦은 밤 자전거를 타고 오는데 슬그머니 비가 내리기
시작했다 왠지 흐리다 싶었는데 비가 내렸다 나는 비가
내리는 그대로 비를 맞았다 오랜만에 우산도 없이
비를 맞았다 주위는 컴컴했다 길옆으로 어두운 강물이
흘렀다 하필 자전거 전조등도 힘없이 희미했다 희미한
전등 불빛 속을 통과하는 빗줄기가 보였다 바람은
불친절하게 불었다 가는 동안 빗물에 옷이 젖었고 창백한
물기가 살갗에 닿으면 두려움이 스며들었다 머릿속이
하얘질수록 주위는 까맣게 되고, 어서 가야겠다는
생각뿐이었다 나는 쉬지 않고 페달을 밟았다 삑삑 자전거
바퀴에서 신경 쓰이는 소리가 연신 났다 앞에도 사람이
없었고 뒤에도 사람이 없었다 아무 일도 없었고 아무도
없었다 다만 내가 어둠 속에 녹아 사라질 것 같은 기분이
들었다 정말로 그럴 수 있겠다는 생각을 했다 나는 겁을
먹고 계속 페달을 밟았다 계속.
여차저차, 집 앞 횡단보도까지 왔고 멈춰 섰을 때
자전거는 끼익 비명 소리를 냈고 나는 털이 다 빠진
털짐승이 된 것 같았다.

그런데 한편으로는 (오랜만에 우산 없이 비를 맞아
그랬는지) 한동안 불을 꺼두고 문도 열어보지 않던 방에
문이 열리고 불이 탁 켜진 것 같았다 그 방에는 재밌는
것들이 있는데 오랫동안 그걸 잊고 있었다 그러니까
앞으로는 더 열심히, 심각해지지 말자고 마음을 먹었다.
'요사이 괜스레 심각했었지.'

혼자 밤에 비를 맞고 왜 그런 다짐 같은 걸 했는지는
모르겠지만 아무튼 재밌는 것들을 다시 해보기로 했다.
심각해지지 말고. 그리고 일기예보를 잘 확인해야겠다.
이제 여름이다.

18

좋은 기분도 가끔은 번거로울 때가 있다.

19

많은 것들이 변했고, 또 어떤 것들은 지겹도록 변하지
않는다.

'어느새'와 '여전히'는 ㅇ으로 시작해서, 그것을 말할 땐

텅 빈 동그라미가 되네.

"어느새."

"여전히."

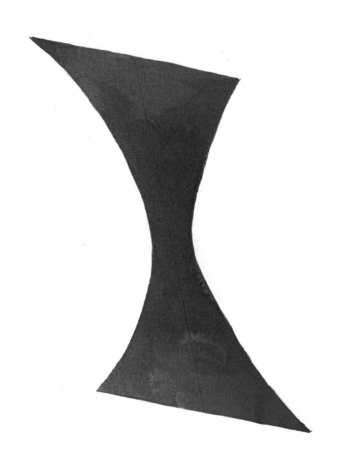

21

잊혀진 옛날 노래가 갑자기 떠올랐을 때 창밖엔 비가
내리고 있었어. 오랜만에 빗소리를 들어서 그랬나.
빗소리가 노래 같았어. 그러니까 시간이 많이 지났다는
걸 알 수 있었지. 그렇게. '그 노래가 어떤 노래였지?'
전엔 떠올려보려 해도 생각나지 않아 찾아 듣지
못했는데. 비가 오는 오늘은 비가 와서, 그 노래가
생각났어. 그렇지만 찾아 듣진 않았지. 가만히 빗소리를
듣는 게 좋았어.

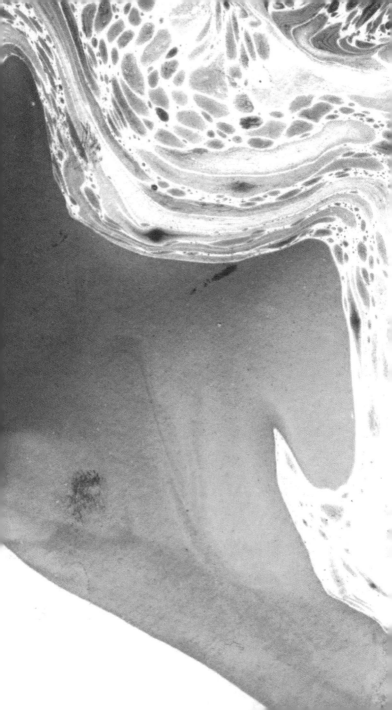

22

하루가 끝나간다. 낮의 찌꺼기들이 밤에 쌓여있다. 아무 생각 없이 너무 많은 생각에 사로잡혀 있다. 그래서 아직 하루는 끝나지 않았고, 내일은 어제 왔던 것보다 늦게 올 예정이다.

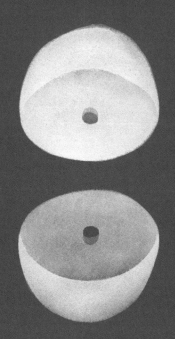

23

대부분의 문제는 정말로 그런 것들이 그럴듯해 보이지 않거나 정말로 그렇지 않은 것들이 그럴듯해 보여서 발생한다. 그러므로 오해가 생기지 않으려면 정말로 그런 것들이 그럴듯해 보여야 한다.

24

모두가 자기 인생의 주인공이다. 그러므로 누군가의

인생에 들어가고 싶다면 주연이 아닌 조연을 자처해야

한다.

25

일상의 끝, 남겨진 듯 혼자가 된 밤에, 티브이도 켜지
않고, 전화기도 내려놓고, 누구와도 통화하지 않고, 어쩐
일인지 음악도 듣지 않고, 그저 조용히 소파에 앉아
베란다 배수관을 통과하는 물소리와 함께 시간을 통과할
때, 조용해서, 심심해서, 삼분의 일쯤 슬프기도 해서
아마도, 그제야 나는 지금 내 기분이 어떤지, 살아가며
무얼 깨닫고 있는지, 오월과 시월에 나무를 흔드는
바람에 여전히 마음이 흔들리는지, 후회하는지, 내게
물어본다.

26

도시의 밤 비가 내리면 잿빛 도로에 금빛 물결이
출렁인다. 어디로 가는 걸까? 전조등 불빛들은,
사람들은. 나는 묻고 싶다. 정처 없이 가는지도 모른다.
그저 밤이 아름다워서. 그게 좋아서. 나는 밤이 좋고, 비
내리는 날씨가 좋다. 지금은 부슬비가 내린다. 오늘 할
일은 끝냈고 비가 흩날려서 일단 나왔다. 이제 시간은
있고 아직 정해놓은 곳은 없으니 나는 아무 곳으로나
가도 된다. 그것이 나를 재미있게 만든다. 나는 걷다가
신호등이 켜지면 횡단보도를 건넜고 오래된 가로등이
깜빡이면 그쪽으로 갔다. 편의점이 보이면 괜히 가서
캔커피를 샀다. 우산을 써도 좋고 안 써도 좋을만큼 비가
내렸다. 나는 우산을 썼다 접었다 했다. 멈췄다 가길
반복하며 걷고 또 걸었다. 전화를 걸고 싶은 마음이
들었다. 누군가를 떠올리다 잠시 멈춰서서, 가로등
동그란 불빛 사이를 통과하는 빗줄기를 올려다보고
있었다. 그걸 그리고 싶은 것처럼.

27

비스듬히 비가 내렸고, 빗방울이 속눈썹을 스쳤지
가벼운 빗방울에 기분이 무거워졌어.

어떤 감정이 엄습하고 건조했던 것에 습기가
차고 차가워지고

너무도 간단히 그렇게 되었지
가로등 불빛이 물기에 번졌지

눈물이 맺힌 것도 아닌데.

28

어느 날 마음이 동해 꿈 하나가 생겼다고 해서, 그걸
무턱대고 좋아할 일은 아닌 것 같다. 꿈에도 유통기한이
있어서 이루지 못한 채로 너무 오래 갖고 있으면 상해서
저주로 변할 수도 있기 때문이다.

꿈이 상하기 전에 그걸 이루든, 저주로 변해버린 꿈을
버리든, 둘 중 하나는 해야 좋을 듯 싶은데 문제는 꿈과
저주가 얼굴이 똑같이 생겨서 그 둘을 구별하기가
어렵다는 것이다. 게다가 꿈이 하는 것처럼 저주도 계속
자기를 바라봐달라 하고 한없이 사랑해달라 한다. 꿈인줄
알고 바라봐주고 사랑해준 것이 사실은 저주에 집착한
것일 수도 있다.

아깝다고 상한 꿈을 계속 먹으면 탈이 난다. 꿈을 먹고
산다고 변명하며 내가 나에게 저주를 내리는 꼴이다.

차라리 꿈을 갖지 않는 게 좋을까? 그건 배탈이 날까
두려워 음식을 먹지 않겠다는 말 같다.

(언제쯤 적당해질 수 있을까?)

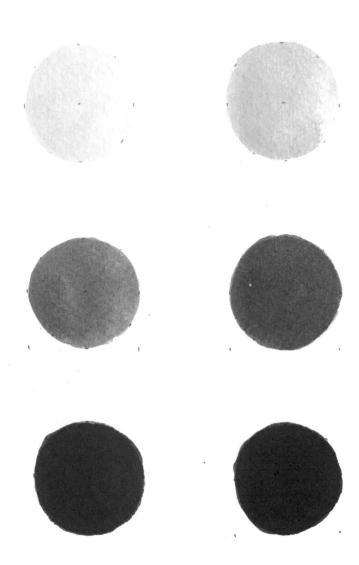

29

비가 오다 그쳤습니다.

걷기 좋은 밤이네요.

비 그친 밤을 걸으면 기분이 적당해 좋더라구요. 그리고

길이 빗물에 젖어있으면 걸을 때 쓸쓸 소리가 납니다.

쓸쓸하다 단어는 누군가 밤에 빗길을 걸으며 처음

떠올렸는지도 모르겠어요.

비가 그쳤을 때 잘 챙겨야 하는데, 우산은 잃어버렸고

제가 술은 잘 못해요. 술을 잘 마실줄 알면, 적당한 곳에

들어가 한잔 했을 텐데. 오늘은 어쩔 수 없이 술을 마셨을

텐데. 슬픈, 기분에 젖어서

혼자 걷고만 있네요. 이 밤에 할 일이 없어서

어쩔 수 없이.

어쩔 수 없다가, 어쩔 수 없다가,

결국 쓸쓸해지는 건 어쩔 수 없는 일인 것 같습니다.

어쩔 수 없음을 알아간다는 건 참

쓸쓸한 일이네요.

30

오늘은 번거롭게 여겼던 일 하나를 끝냈다. 그런데
마음에 계속 번거로움이 남아있었다. 자려고 누웠는데
머릿속이 신도림역처럼 복잡했다. 잠이 들어올 자리가
없었다. 기분이 좋지 않아서 차라리 몸을 움직이기로
했다. 여기저기 정리를 하고나면 나쁜 기분을 잊을 수
있으니까. 다른 방법은 아는 게 없다.
정리가 끝나고나니 나쁜 기분도, 기분도 사라졌다. 역시
홀가분해졌다는 말이다. 나는 창밖을 보며 아, 숨을
내쉬고, 달을 1미리쯤 밀어내본다. 정리를 하고나니
공간이 넓어졌다. 오늘밤은 어젯밤보다 넓게 잘 수 있다.
"데굴데굴 세 번은 구를 수 있겠다."

31

할 일을 한다. 생각은 멈추고 몸을 움직여 지금 해야겠다

싶은 일을 하나씩 한다. 그것이 내가 알고 있는, 마음을

편하게 하는 유일한 방법이다.

32

시간이 지나서 보면 과거의 내가 지금의 나와는 많이
다른 사람인 것 같아 문득 놀라곤 한다. 매일 매우 조금씩
자라는 식물처럼 사실 매순간 나는 다른 사람인데, 내가
그걸 알아차릴 정도가 되려면 어느 정도 시간이 지나야
하는 것인지도 모른다.
내가 많이 변해있어서, 어느덧 시간이 많이 지난 것을
알게 된다.

33

서랍과 서랍에서 버릴 것들이 많이도 나왔다. 생각해보니
그것들은 넣어둘 땐 언젠가 필요할지 모르니 잘 넣어둔
것들이었다. 나는 잠시 머뭇거렸다. 그것들이 언젠가
정말로 필요할지도 모르니까. 하지만 나는 곧 그것들을
모두 버리기로 한다. 새로운 것들로 서랍들을 채우고,
이전에 쌓아둔 것들이 필요하지 않은 삶으로 갈
것이다. 그것이 내게 더 중요한 것 같았다. 나는 커다란
쓰레기봉투를 사서 그것들을 모조리 봉투에 집어넣었다.
홀가분했다. 그런데 그게 미안해서, 수고했다고 작게
혼잣말했다.

34

"우울의 끝."이라는 문장을 해석하시오.

① 더 이상 우울하지 않다.

② 더 이상 우울할 수 없을 정도로 우울하다.

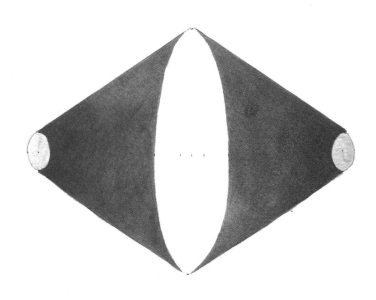

35

들여다보면 달에도 상처가 있어. 그래도 밤마다 깨끗한 달빛을 낸다. 그러니 달처럼 살아가자. 모두들 각자의 빛이 있으니 달은 달빛을, 나는 나만의 빛을 내면서. 그것으로 어둠을 밝히고, 서로의 밤을 지켜주자.

36

어쩔 땐 미묘한 말투 하나에 기분이 나빠지고 어쩔 땐
이불 하나 단정히 개켜두는 것만으로도 기분이 좋아진다.
그런 일들은 어느 날 예고 없이 일어난다. 내 기분이
어떻게 변하는지 나는 잘 모른다. 모르는 채로, 그걸
느끼며 살아간다. 기분은 날씨 같다. 비가 내리면 내리는
비를 맞거나 우산을 쓰는 수밖에 없다. 비가 오지 않게
할 수는 없다. 다만 비가 내리면 빗길을 걸으며 음악을
듣거나, 무언가 떠오르는 걸 적어보며 시간을 보내본다.
날씨가 변하는 것처럼 기분이 변하면 그 기분에 맞는
무언가를 해본다. 그러면서 다음 기분을 기다린다.

37

점점점 가로등이 하나둘 켜지는 시간

방은 점점 밤으로 물들고

나는 그 사람 얼굴 눈 밑 점을 생각한다

그 사람은 왼쪽 눈 밑에 점이 있지

눈물처럼

내 왼쪽 눈 밑에도 점 하나 찍어본다

거울 앞에 서서

그 사람 슬픔에, 나도 슬퍼지고

우리는 닮아가고 있다 점점점.

38

모두가 자기 자신에 대해 이야기한다. 예술도
마찬가지다. 그러나 예술은 남의 이야기를 대신 하는
것이기도 하다. 자기 자신에 대해 이야기하는 동시에
다른 사람이 그 자신에 대해 이야기할 수 있게 해준다.
예술은 자기 자신과 가까워지게 하고, 자기 자신에 대해
알 수 없었던 것들을 알 수 있게 하며, 내가 아닌 다른
이의 이면에도 호기심을 품게 한다. 예술은 사람과
사람이 서로 연결되어 있다는 것을 알게 해준다.
아니다. 주어를 바꿔야한다. 사랑은, 그런 것들을 알게
한다. 이것은 진부한 이야기다.

39

이 도시에서는 무덤을 보며 산책을 하고, 사진을 찍고,
오늘은 날씨가 어떻다, 이야기를 나눈다. 나는 창밖으로
무덤이 보이는, 음악이 좋은 밤의 카페에 들어와 따뜻한
커피 한 잔을 마시는 중이다.

죽음을 바라보고 있으니, 그것이 내 곁에 있다는 것을
곧 알게 된다. "죽은 자는 말이 없다"는 말처럼 잠시
조용해진다. 하고픈 말도 해야할 말도 잊는다. 커피를
마실 뿐이다. 이윽고 커피의 온기가 찻잔을 잡은 손에
스며든다. 그래서 내가 아직 삶 속에 있다는 것도 곧 알게
된다.

40

혼자 있고 싶다는 생각이 들 때면 사람이 많은 곳으로
간다. 나를 전혀 모르고 내게 아무런 관심이 없는 사람들
속으로. 그 속에서 나는 무심히 외롭고, 자유롭다.

아무도 없이 혼자 있으면 주위에 생각이 너무 많아
마음이 분주해진다.

41

영원한 자유가 있는 그곳엔 사랑도 없어. 사랑은
속박이기도 하잖아. 그래, "자유는 무정해. 사랑 없이."

그래서 혼자 있어도 외롭지 않아. 무정한 그곳에서는.
근데 말야, 뭘 할 수 있을까 어떤 말을 할 수 있을까
사랑도 외로움도 없는 그곳에서.

"아我." 탄식도 감탄도 아닌 그저 그 한 글자의 말을
하고, 결국엔 그 말도 잊어버리겠지.

42

자다가 잠깐 깼는데 문득 낯설었어 내게는 익숙한 보통의
것들이 – 천장에 달린 전등, 동그란 탁자, 그 위에 놓인
(아직 뜯지 않은) 소포 상자, TV, 벽지에 묻은 하얗고
네모난 달빛, 벽에 걸린 시계, 그런 것들. 시계의 시간은
새벽 4시를 지나고 있었지. 그런데도 나는 지금이 몇
시일까 생각했어.

그 낯선 새벽 4시무렵에, 나는 누구였을까?

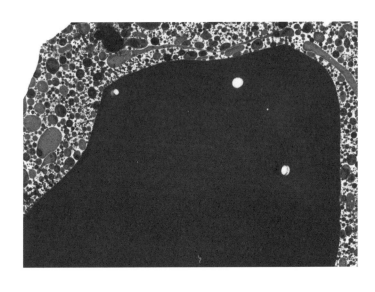

43

창밖에 여름개구리가 운다.

밤산책을 가야겠다.

44

그걸 하고 싶지 않았지만, 나는 거절하지 못했다. 관계, 평판, 상대방의 기분, 알 수 없이 안좋은 예감들... 그런 것들이 있었다. 거절은 어렵다. 내가 거절을 못해서 나는 하고 싶지 않은 일을 하게 된다. 그것은 내 기분을 망친다.

아무튼 내 탓인 것 같다. 그렇게 또 정리한다. 내가 거절만 잘 하면 될 일이니까. 내게 제안을 한 사람은 내가 그것을 수락해주었으니 기분이 좋았을 것이다. 그 사람에겐 단순한 일이다. 그저 내게 제안을 했고 수락을 받아냈을 뿐. 그 사람은 아무 것도 모른다.

45

오늘은 하루종일 기분이 안좋아서, 내가 좋아하는 일을
계속 하기 위해서는 내 기분이 가장 중요하다는 생각을
많이 했다. 창밖은 밤인데

아직도 그 생각을 하고 있다.

46

그러니까 거절하고 싶을 때 쓸 수 있는 말들, 내게는
적절한 '거절의 말'들이 필요하다. 거짓말을 만들어 내고
싶은 게 아니다. 상대방이 아닌 내 마음이 편해질 수 있는
말들이 있으면 좋겠다.

47

나의 상상이 나를 저주한다.

48

나의 상상이 나를 구원한다.

49

누군가 내게 진심으로 날 대해줘 했을 때 나는 진심으로
널 싫어해 하고 싶었어 누군가 내게 진심으로 날 대해줘
했을 때 나는 진심으로 널 좋아해 하고 싶었어 하지만
나는 다른 말들을 하고, 그걸 진심이라 했지.

그들은 떠났고, 그때의 진심도 이젠 없어. 그걸 모아보면
얼마나 많을까 지금껏 꺼내주지 못한 진심들이.
확인해볼까 하지만 모두 사라지고 없어 텅 빈 창고처럼.

깨끗한 여름의 달빛만이 남아있지.

50

나무는 나무 모양 안에서 흔들리고

나는 나의 모양 안에서 흔들린다 바람이 불면

모양이 있는 것들은 모양 안에서 흔들리고

모양이 없는 것들은　　　　　　흩어진다.

51

지난여름에서 출발한 여름은 어느새 다시 곁에 도착해

있고 그 사이 나는 슬그머니 변해서, 지난여름 나는 어떤

사람이었지? 하고 생각했다. 어쩐지 잘 생각나지 않았다.

기분을 묘해져서 입술을 오므렸다.

나는 지금의 여름을 기억해두려고, 잠시 가만히 있었다.

음미하며 음악을 듣는 것처럼.

52

며칠 비가 쏟아지다 그친 여름밤에는

머리 위로 구름 파도가 치는 바다가 있다.

밤바다는 무섭고 수영은 못하지만, 나는 몽상에 젖는다.

밤하늘을 보며 바다 수영을 하고 물속에서도 자유로이

숨을 쉰다.

나만의 조용한, 여름의 밤.

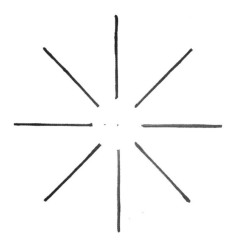

53

나는 잘 지낸다. 불행도 잘 지나가고, 행복도 잘
지나간다. 그럭저럭 그런 것 같다. 나쁜 기분이 들면
시간을 들여 산책을 하고 운동을 한다. 여행을 가듯
소설을 쓴다. 우연히 좋은 노래를 만나면 그걸 좋아하며
반복해 듣는다. 연인과 차를 마시고 이야기를 나눈다.
그러면 괜찮다. 나는 괜찮아진다.
오늘밤은 사람이 만든 별과 신이 만든 별이 함께 빛난다.
하늘이 맑다. 나는 자전거를 타고 밤을, 여름을 통과한다.
'안녕하세요, 덕분에 잘 지냅니다.'
나는 속삭이듯 마음을 전한다. 아마도, 신에게.

54

오늘도 밤이 지나간다.

안녕, 나였던 사람.

비가 내렸다 그치길 반복했다. 여름밤이었다. 녹녹하고
서늘했다. 개구리가 울었다. 나는 글을 썼다.

김종완

주로 인물을 그리던 제가, 이 책에서는 밤의 이야기를

부드러운 도형들에 담았습니다. 고민이 많았던

작업이었지만 그 고민들이 눈에 보이지 않아 다행입니다.

함께 작업한 김종완 작가와 별책부록, 마지막으로 밤의

이야기를 그림으로 만나주신 독자님들께 감사합니다.

윤연두

주로 밤에 하는 이야기

초판 1쇄 발행 2020년 8월 24일

글 김종완
그림 윤연두

펴낸이 차승현
디자인 이민영
인쇄 상지사

펴낸곳 별책부록
출판등록 제2016-000027호
주소 서울 용산구 신흥로16길 7, 1층
전화 070-4007-6690
홈페이지 www.byeolcheck.kr
이메일 byeolcheck@gmail.com